Nicolas joueur étoile

Texte de Gilles Tibo  Illustrations de Bruno St-Aubin

Éditions
◀SCHOLASTIC

Catalogage avant publication de Bibliothèque et Archives Canada

Tibo, Gilles, 1951-

Nicolas, joueur étoile / Gilles Tibo ; illustrations de Bruno St-Aubin.

ISBN 978-1-4431-1435-6

I. St-Aubin, Bruno II. Titre.

PS8589.I26N488 2012   jC843'.54   C2012-903881-4

Édition publiée par les Éditions Scholastic, 604, rue King Ouest, Toronto (Ontario) M5V 1E1

5 4 3 2 1   Imprimé au Canada   12 13 14 15 16

Les illustrations de ce livre ont été faites à l'aquarelle sur papier Arches.
Le texte est composé avec la police de caractères Boracho Regular.

MIXTE
Papier issu de
sources responsables
FSC® C103113

10%

Aux deux cadeaux du ciel :

Maéva et Anaïs

Gilles Tibo

À Charles et Antoine

Bruno St-Aubin

Ce matin, je dors paisiblement dans la chaleur de mes draps. Je rêve que je nage dans une mer chaude des tropiques.

Mais soudain, je me réveille en sursaut.
Mon père ouvre la porte de ma chambre
en hurlant :
— Vite! Vite Nicolas!
Lève-toi!

Ma mère se précipite à son tour :
— Vite Nicolas! J'ai préparé ton lunch!

Ma sœur se lance sur mon lit :
— Nicolas! Je t'ai fabriqué un porte-bonheur!

Je ne suis même pas sorti du lit que mon père commence à me donner ses premiers conseils :

— Habille-toi bien, Nicolas, les arénas sont souvent mal chauffés.

Encore tout endormi, je réponds :

— Ouais, ouais, papa...

Alors que je suis devant mon petit déjeuner, ma mère me dit :

— Mange bien, Nicolas! Aujourd'hui, tu vas affronter la meilleure équipe de la ligue!

— **Blurp! Blurp!** Ouais, ouais, maman!

9

Pendant que je me brosse les dents, mon père continue de plus belle :

— N'oublie pas, Nicolas, il faudra bien nettoyer la glace devant ton filet. Garder ta concentration de gardien. Bien couvrir les coins! Développer ta vision périphérique!

— **Blurp! Blurp!** Oui, papa!

Juste avant de quitter la maison, ma mère me donne une bouteille d'eau et un lunch :

— Nicolas! N'oublie pas de bien boire et de bien manger! N'oublie pas de bien lacer tes patins, de bien attacher ton casque protecteur, et tes épaulettes et tes genouillères!

— Oui, oui, maman!

11

Pendant le trajet, mon père ne cesse de me
raconter les grands matchs de la ligue nationale.
Il me raconte en détail le match Canada-Russie ainsi
que tous les buts vainqueurs de la Coupe Stanley.
J'ai la tête remplie de scènes de hockey.

Rendu à l'aréna, je m'engouffre dans le vestiaire des joueurs. Pendant que j'enfile mon habit de gardien de but, l'entraîneur, monsieur King, nous explique le profil psychologique de chacun des joueurs adverses.

N° 16 : Une vraie brute!

N° 22 : Incapable de tourner à droite.

N° 64 : Donne des coups de coude.

N° 44 : Attention! Champion cogneur.

Nous avons tellement peur que nous nous figeons sur place.

Sur le tableau, monsieur King nous explique le plan
du match. Il dessine le rôle des défenseurs,
les déplacements des joueurs de centre,
ainsi que les montées et les passes
que devront faire les attaquants.

Après dix minutes, le tableau est rempli de dessins, de flèches, de lignes pointillées, de mouvements vers la droite et vers la gauche. Mes amis et moi, nous n'y comprenons plus rien. J'ai soudainement mal au ventre. Mal à la gorge. Mal au cerveau.

La tête pleine de signes, de lignes, de flèches, de bonshommes allumettes, nous nous élançons sur la glace. L'aréna est bondé. La foule crie. On dirait que le plafond va exploser. En me rendant vers mon but, j'entends hurler autour de moi :

Vas-y Jonathan!

Allez Steven!

Go! Go! Go Mathieu!

Hop! Hop! Paulo!

Rendu devant mon filet, j'entends mon père crier :
— Vas-y Nicolas! C'est toi le meilleur!

17

L'arbitre laisse tomber la rondelle
entre les deux joueurs de centre
et la partie commence.

Aussitôt, les papas, les mamans, les frères,
les sœurs, les oncles, les tantes, les grands-pères
et les grands-mères commencent à donner des
conseils, des ordres, des recommandations à leur
joueur préféré :

    – Allez! Sébastien, vite! Vite! Va compter!

    – Max! Garde la rondelle! Garde la rondelle!

    – Vite Luigi! Fais une passe!

    – Non, mais Paulo, qu'est-ce que tu fabriques?

Nous sommes tellement énervés qu'il nous est absolument impossible de nous concentrer. Les joueurs des deux équipes sont tellement fébriles qu'ils jouent de plus en plus mal. Mes défenseurs deviennent de véritables passoires.

Derrière moi, j'entends mon père crier :
— Attention Nicolas, à droite! Non! À gauche !
Lève ton bâton! Non! Lance-toi par terre!
Non! Non! Relève-toi! Attention devant! Derrière!

Je suis tellement perturbé par tous ces conseils que je ne réussis pas à me concentrer! À la fin de la première période, l'équipe adverse a compté cinq buts. C'est la honte... la catastrophe... le désespoir...

Pendant la pause, nous nous engouffrons dans le vestiaire. L'atmosphère est épouvantable. L'entraîneur est déchaîné. Sur le tableau, il nous propose un autre plan de match. Et nous ne comprenons plus rien de rien, de rien. Nous sommes complètement découragés.

Moi, j'en ai assez! J'ai de plus en plus mal au
ventre! Je vais faire un tour à la salle de bain.
Et là, il me vient une idée géniale.

De retour, je me lance sur la glace avec mes coéquipiers. Pendant que le public crie et chahute, pendant que les entraîneurs hurlent et s'égosillent, pendant que tous les joueurs s'énervent et gesticulent, moi, Nicolas, je reste très calme. Zen... Zen... Zen...

Mes défenseurs sont toujours des passoires et les trous deviennent de plus en plus grands, mais ma concentration est extraordinaire. J'arrête toutes les rondelles. Personne ne marque dans mon but.

Pendant la deuxième pause, j'explique mon truc à tous mes coéquipiers. À tour de rôle, chacun va faire un tour dans la salle de bain et chacun en ressort avec un large sourire.

Pendant la troisième période, même si tout le monde crie, si tout le monde hurle, si tout le monde s'énerve, les joueurs de mon équipe jouent avec calme. Zen... Zen... Zen... Ils se font des passes d'une telle précision qu'ils comptent dix buts.

C'est la joie! C'est l'apothéose! Nous gagnons le championnat dix à cinq. À la fin de la partie, nous sourions de toutes nos dents.

On nous photographie. On nous filme. Mais,
lorsqu'on nous interroge, personne ne répond!

On nous pose et on nous repose des questions,
mais personne ne répond.

C'est à ce moment-là que nous enlevons nos bouchons de nos oreilles!